울릉에 두고 온 마음

울릉에 두고 온 마음

발　행 | 2024년 8월 21일
저　자 | 김유준, 김유나, 김지양, 류대희
펴낸이 | 한건희
펴낸곳 | 주식회사 부크크
출판사등록 | 2014.07.15.(제2014-16호)
주　소 | 서울특별시 금천구 가산디지털1로 119 SK트윈타워 A동 305호
전　화 | 1670-8316
이메일 | info@bookk.co.kr

ISBN | 979-11-419-5339-3

www.bookk.co.kr

울릉에 두고 온 마음

김유준, 김유나, 김지양, 류대희 지음

차례

울릉도(鬱陵島)

오세영

밝음을 지향하는 마음이
얼마나 간절했으면
빛을 좇아 이렇듯 멀리 동으로 동으로
내달았을까.
밝음을 사랑하는 마음이 또
얼마나 애틋했으면
청정한 해류 따라 이렇듯 먼 대양에
이르렀을까.
그 순정한 사념(思念)
변함없이 받들기 위해서
뜻은 한가지로 높은 데 둘지니
너를 만나기 위함이라면
동해 거친 격랑에 몸을 맡겨
세상의 그 오욕칠정(五欲七情)을 모두 비워야 비로소
가능하구나.
신(神)이 이 지상에 떨어뜨린 한 알의 진주처럼
국토의 순결한 막냇누이여..
울릉도여.

프롤로그 #준비

울릉도에 대한 편견.

1. 촌스럽다.

2. 오징어가 흔하다.

3. 언제든 갈 수 있을 것만 같다.

눈으로 확인한 사실.

1. 경상도다. 어딜 가나 짙은 경상도 사투리

2. 오징어는 귀하다.

3. 너무나 매력적이어서 기회가 된다면 또 가고 싶다.

[대회의 준비]

제주도에 간다고 하면 이국적인 느낌에 휴양도 관광 인프라도 넘치게 잘되어 있어 "우와, 좋겠네!" 라는 부러움의 한 마디가 너무나 당연하게 나왔는데, 울릉도에 대해서는 그다지 큰 매력이 없었다. 그건 아마 '잘 알지 못함'에서 비롯된 무관심에 가까운 것이었을 거다.

그러던 어느날, 관산동 성당의 나인구 스테파노 신부님께서 휴가 때 울릉도에서 찍으신 사진을 보여 주셨다. 기암괴석의 절경과 맑은 물색이 빚어내는 청량함이 나의 '울릉도에 대한 무지'를 깨뜨린 첫 간접 경험이었다. 그러나 아쉬운 점은, 그 아름다움이 사진에는 다 담기지 못하는 것이 당연한데 신부님께서 침까지 튀기시며 극찬에 극찬을 더하는 것이 솔직히 조금은 와닿지 않았다는 것이었다. 직접 보지 않고는 알 수 없는 것이 얼마나 많은가!

그러다 학교의 자율휴업일이 단기방학으로 이어진 올해 학사력 초안을 보고, 비수기에 떠날 수 있는 여행으로 멀리까지는 못 가더라도 3박 4일로 울릉도는 갈 수 있지 않을까, 했던 것이 우리의 첫 계획이었다. 하지만 학교에 이런 저런 공사를 해야 하는 상황이 생겨서 학사일정이 완전히 어그러졌다. 어쩔 수 없이 먼저 구두 예약을 했던 천부성당 영성센터 숙소를 취소하고, 성수기 중에서도 극성수기라는 7월 말로 숙소와 배를 다시 예약하게 되었다. 여름방학이 시작하자마자였다. 그것도 처음엔 친정 부모님과 시부모님 모두를 모시고 가고 싶었는데 아버님 직장 사정이 여의찮아 시부모님 두 분 중 어머님만 모시고 가게 되었다.

인원이 많으니 차 두 대로 움직이는 것보다는 섬에 가서 큰 차를 빌리는 게 시간도, 돈도, 인력도 경제적일 거란 판단하에 렌트카는 11인승 스타리아로, 배는 서울서 가장 가까운 강릉에서 출발하는 저동항행 쾌속선으로, 독도는 혹시 몰라 이틀 치를 다 예매하였고, 숙소는 진작에 신부님께서 거처하셨다는 천부성당 영성센터로 예약을 해두었다.

일정을 한번 대대적으로 바꾸었고, 어머님께서 처음엔 안 가시려다 또 가시게 되어 방을 추가 예약했고, 이미 울릉도에 한번 다녀가셨던 친정 부모님께선 3박만 묵으시기로 하셨다가 다시 우리 일정에 맞춰 4박으로 바꾸셔서 숙소를 관리하시는 데레사 자매님께 본의 아니게 잦은 연락을 취할 수밖에 없었다. 그런데도 매번 너무나 친절하게 조심히 오라며, 궁금한 거 하나하나 다 대답해 주셔서 감사했다. 거기다 숙박비는 하도 취소하는 사람들이 많아 그런지 선입금조차 없이 입실 당일 성당의 계좌에 입금하면 되는 시스템이어서 마음이 편하기도 했다.

울릉도 준비는 사실상 숙소, 렌트카, 울릉행과 독도행 배편 예매를 제외하고는 거의 출발일에 임박해서 여러 가지를 검색하거나 주문하거나 지인에게 일정을 물어보는 게 다였다. 지나치게 너무 많이 알아보고 맛집 동선까지 세세하게 짜다 보면 벌써 그 여행지에 다녀간 기분이 들기까지 했던 옛 경험 때문이라기보다는, 그저 시간이 없었고, 양가 부모님과 함께 하니 마음이 편했기 때문이었던 것 같다.

친정 부모님은 약 9년 전, 파견근무지였던 아르헨티나의 몇 소도시, 그리고 코로나19가 터지기 직전에 필리핀의 세부와 보홀을 모시고 갔었고, 시부모님은 그보다 10년쯤 전에 멕시코, 그리고 바로 작년에 말레이시아의 코타키나발루를 모시고 갔었다. 양가 부모님 모두 여행지에서 비교적 입맛이 까다로우신 분들이 아니셨고, 무엇보다도 아이들을 키워주신 분들이시라 애정이 남다르기도 하였던 것이다. 양가 부모님과 함께하는 여행이 처음이었다면 어떻게든 편하게 모시고 다녀야 한다는 부담감에 본업은 뒷전이고 밤낮으로 세부적인 일정을 세우느라 출발 전부터 지쳤을 것이 분명하다. 덕분에 나는 최소한의 대비책과 함께 미지의 세계에 대한 설렘을 잔뜩 안고 갈 수가 있었다.

하지만 제일 설렌 건 아이들이었다. 유나는 떠나기 며칠 전부터 '두근거린다, 긴장된다, 떨린다' 등 자신이 아는 온갖 감정 단어를 사용해 가며 빨리 울릉도에 가고 싶다고 하였고, 유준이는 출발 전일 저녁 7시부터 잠잘 준비를 하며 식구들의 휴대폰

알람을 모두 새벽 세 시 반으로 맞춰주었다.

그리고 우리 첫 조카, 시유도 떠나기 며칠 전날, 막판에 일행에 합류하게 되었다. 방학을 맞아 한가했던 그녀는 이제 초등학교 6학년이다. 할머니와 특히 애착 관계가 특별한 시유가 함께 한다는 말에 유나는 더 들뜬 모습이었다. 곧 사춘기에 접어들 텐데, 어쩌면 벌써 시작일 수도 있는 시유의 2차 성장기에 추억을 같이 공유할 기회가 주어짐이 감사했다. 아무리 어릴 적 유년기 몇 년을 친남매, 친자매처럼 한집에서 함께 살았다 하더라도, 분가한 지 4년이 다 되어가는 데다, 십대에 접어들면 아이들끼리도 다소의 어색함이 생기는 게 당연할 터, 그보다 더 당연한 건 조카와 외숙모, 외삼촌 간의 사이가 소원해지는 것일 게다.

[지양의 준비]

울릉도와 독도는 한국인이라면 한 번쯤 꼭 가봐야하는 곳이라는 생각을 가지고 있을 것이다.

나 또한 그랬고, 부모님과 아이들에게도 한 번쯤 보여주고 싶은 곳이었다. 우연히 듣게 된 천부성당 영성센터가 좋다는 소식에 24년 여름 휴가지로 일찍이 낙점을 했다.

아람단 지도교사 시절 한 번 가볼 기회가 있었으나, 풍랑으로 인해서 실패했던 경험이 있어서 배편을 2중으로 예약하는 등 나름 철저한 준비를 하였다.

7, 8월은 내게 무기력의 시간이었다. 어쩌면 울릉도-독도 여행은 내게 작은 활력소가 되어 주지 않을까 하는 기대감도 있었다.

[유준이의 준비]

나는 새벽에 일어나는 것은 자신있다. 성당에서 새벽에 복사를 서기 때문이다. 그래서 알람을 세시 반으로 맞추고 내가 제일 먼저 일어날 것이다. 내가 못 일어나면 안되니까 떠나기 전날 일찍 자야지 생각했다.

울릉도에서 가장 기대되는 것은 스노클링이다. 바다에는 어떤 물고기가 있을까? 꼭 한 마리 잡고 싶다.

[유나의 준비]

엄마가 '살면서 꼭 하고 싶은 일'을 버킷리스트라 한다고 알려주셨다. 나의 버킷리스트는 울릉도와 독도에 가는 것이다. 학교에서 '여름방학에 하고 싶은 일'을 주제로 글쓰기를 하라고 했는데, 나는 울릉도와 독도에 가고 싶다고 적었다. 울릉도에서는 뭐가 맛있을까? 독도에는 사람이 살까? 너무 기대된다.

제1일 천부에서의 기도

저동항 - 전*식당 - 독도문방구 - 저동커피 - 천부성당(숙소) - 천부해수풀장, 천부항, 천부해중전망대 - 만광식당

새벽 세 시 반, 모두의 알람이 일제히 울렸다. 층간소음이 걱정되어 후다닥 꺼버리고 조금만 더 잘까, 하다 양쪽 엄마들의 전화를 차례로 받았고, 전날 저녁에 짐을 다 실어둔 것이 천만다행으로 여겨졌다.

사리현동에 사시는 어머님과 조카는 형님이 차로 실어 중간에서 픽업할 수 있게 해주셨고, 애들은 흥분해서 강릉항까지 잠도

안 자고 갈 것만 같았다. 강릉 가는 동안 비가 오다 말다 해서 혹시 비가 안 뜨면 어떡하나 울릉 알리미 앱을 보고 또 보다가 사이사이 곯아떨어져서 아이들이 잤는지 안 잤는지 정확히 모르겠다.

친정 부모님도 진작에 강릉에 도착해계셨는데 새벽 6시 반에 문 연다는 빵집에서 이거저거 사 오셔서 간단히 요기한 뒤 멀미약을 단단히 챙겨 먹을 수 있었다. 이날 너울성 파도로 인해 원래는 3시간 예정이었던 소요 시간이 꽤나 늘어졌다.

배 안이 생각보다 추웠고, 첫날부터 부모님이나 아이들이 감기 걸리면 어떡하지 싶었던 데다, 화장실에 건장한 남성들의 우웩거리는 배멀미 소리를 듣다 보니 식구들의 컨디션도 걱정이 되었다. 그래도 배멀미약 덕분에 항해 시간 내내 헤롱거리며 잠에 취해있다 내리니 시간이 금방 가서 그나마 다행스런 일이었다.

멀미약은 네 종류로 준비했다. 인터넷으로 알아보니 이순신 장군이 그려진 노란 멀미약 '노량'이 배멀미엔 특효가 있다고 해서 나와 어머님은 주로 그걸 복용했고, 아이들은 처음엔 씹어 먹는 츄어블 멀미약을 먹었다가 유나 빼고는 친정 부모님과 함께 메카인을 삼켰다. 친정엄마께서 예전에 메카인으로 덕을 많이 보셨다는 이야기를 해 주셨기 때문이다. 그 외에도 쿠팡에서 귀 밑에 붙이는 수입 멀미 패치를 직구하여 추가로 붙이기도 했다.

배가 뜬 것만 해도 다행인데, 크게 멀미하지도 않고 무사히 도착한 것만으로도 감사한 일이었다. 예전에 아르헨티나의 우수아이아에서 펭귄을 보고 오던 배 안에서 자식들도 몰라보고 연쇄 구토와 실신 직전까지 정신줄을 놓았던 경험을 떠올리면 정말 감사할 따름이었다.

도착하자마자 남편이 렌트카를 빌리러 간 사이, 전*식당이라는 곳에 들어가 우리끼리 먼저 점심식사를 해야 했다. 전*식당은 길가에 있어 찾기 쉬웠다. 아직 속이 좀 불편하기도 했고 배도 하나 고프지 않은 상황이어서 남편을 제외한 일곱 명이 오삼불고기와 부지갱이 나물밥을 먼저 7인분 시켰는데, 바로 옆에서 의자 위에 올라가 못질하던 아저씨께서 애들은 굶기냐는 말씀을 하셔서 매우 당혹스러웠다. 그 와중에 유준이는 아저씨의 쌀쌀맞은 태도에 기분이 상해서는 집에 가는 내내 전*식당의 추억을 곱씹곤 했더랬다. 경상도 특유의 사투리는 얼핏 잘못 들으면 싸우는 거 내지는 시비 거는 조로 들릴 수 있는지라, 아이가 느끼기에 더 냉랭했을 터. 나야 경상도에서 자라 사투리가 익숙했고, 애초 남편을 포함해 1인 1메뉴를 시켰어야 했는데 유나가 많이 먹지 않을 것이 분명한 데다, 시켜보고 더 시켜야지 생각했던 것이 문제의 발단이란 생각이 들어서 아저씨가 아무리 툭툭대며 우리의 머리 위에서 못질을 퍽퍽 해대도 '좀 봐주시지, 너무하시네' 정도의 가벼운 안타까움을 느꼈지만, 아이에겐 매우 언짢은 경험이었나보다.

여차저차 점심 먹고 차에 짐을 다 싣고 입실 시간까지도 좀 여유가 있어 독도문방구와 저동커피에 들른 다음에야 저동항서 천부로 향했다. 내가 여행지에서 유일하게 사치를 부리는 게 하나 있는데, 그건 바로 스노우볼을 사 모으는 것이다. 그나마도 분가하고 나서는 몇 개 사지도 못했는데 배를 이렇게나 많이 탔으니 하나 업어가지 않을 수 없었다. 유준이는 머뭇거리다 독도라고 적힌 하얀 슬리퍼를 골랐다. 색이 흰색이라는 것이 썩 내키지는 않았다. 하루도 안 되어 흰색이 회색이 되고, 회색이 검은색이 될 것임이 자명했기 때문이다.

저동커피는 부모님들께서 커피 한잔 땡긴다 하신 것도 있었고, 아이들이 아이스크림을 사달라 조르던 통에, '먹물 아이스크림', '호박 아이스크림'이라고 붙여놓은 광고지를 보고 기왕 먹을 것 색다른 걸 먹어보자 싶어 들어갔던 것이었다. 막상 무슨 맛을 고를지 고민스러워하기에 하나씩 먹어보고 정하라 했더니, 아이들은 호박 아이스크림은 너무 호박 맛이라 입맛에 안맞는다는 단호박이었다.

가는 길에 삼선암에서 차를 멈출 수밖에 없었는데 바다에 우뚝 솟은 바위섬 주위로 펼쳐진 절경 때문이었다. 우리 말고도 다른 관광객이 줄지어 감탄하고 있어 사진을 찍어달라는 부탁도 할 수 있었다. 순조로운 시작이었다.

저동항에서 천부까지는 약 20분이 걸렸다. 조용한 동네에 해수풀장도 있고 해중전망대도 있고, 오, 편의점도 치킨집도 있네, 하면서 성당 옆 영성센터에 도착하니 문자로 응대해 주셨던 자매님께서 환한 미소로 우리를 맞아주고 계셨다. 아래층 2인 1실 두 군데에서 친정 부모님, 시어머님과 조카가 각각 투숙하고, 2층에 있는 큰방에선 우리 네 식구의 짐을 풀었다. 아래층 공용 식당에만 TV가 있어, 마침맞게 개막한 2024 파리 올림픽을 보며 담소를 나누기 딱이었다.

무슨 이유 때문이었는지 친정부모님께서 묵으시는 방의 에어컨이 작동하지 않았다. 주말이었고, 수리를 할 수 없었다. 울릉도의 수리비는 부르는 게 값이라고도 하였다. 때는 찜통 더위로 전국이 뜨거웠고, 유난히 잠자리 더위에 취약하신 아빠가 걱정을 많이 하시자 자매님께서는 흔쾌히 자신의 방을 내어 주시기도 하였다.

조금 쉬었다가 우리 네 식구만 천부항으로 향했다. 바닷물에 입수하기 위해서였다. 시유는 예전에 중이염을 간헐적으로 앓았던 경험도 있고, 지금은 물을 그다지 좋아하는 편이 아닌 모양. 해서 숙소에서 쉰다고 하였다. 주말이어서 그런지 천부항과 천부 해수풀장엔 사람들이 제법 있었다. 집에서 오리발과 구명조끼, 스노클 마스크를 바리바리 싸 오느라 남들보다 짐이 두 배로 많았는데 드디어 이 물놀이 장비들이 빛을 발하는구나!

천부항엔 작은 물고기가 많이 있었다. 천부 해수풀장과 바다를 오며 가며 아이들과 함께 물놀이를 즐기다 보니 몇 가지가 더 아쉬워졌다. 어른도 오리발이 있으면 좋겠다는 것과, 유나를 위한 체온 유지용 수영복이 있으면 좋겠다는 것. 사람의 욕심은 역시 끝이 없다. 바람이 많이 불어 유나가 오들오들 떨어 긴 시간 물에 있지는 않았는데, 나머지 식구들이 천부 해중전망대를 방문하는 사이 후다닥 숙소로 올라가 씻고 나니 벌써 저녁 시간이 다 되었다.

-유준-

우리는 울릉도에 와서 처음으로 스노클링을 했다. 정말 재밌었다. 아빠와 같이 수영을 했었는데 이때 뿔소라를 잡아서 더 좋았다. 나는 그걸 간직하려 했는데 아빠가 놔주자고 해서 놔줬다. 바다는 참 흥미롭고 재밌는 곳인 것 같다.

저녁은 뭐 먹지, 급히 알아보다 물회가 맛있다는 동네의 한 식당에 전화해 보니 단체 예약 손님만 받는다는 비보에 발길 닿는 대로 들른 만광식당이라는 곳은 할머니께서 이미 마감 준비를 하고 있었다. 그래도 우리 처지가 딱해 그런지 포장해 갈 수 있도록 준비해 주신다고 하였는데, 파전도 안 돼, 불 쓰는 요리도 안 돼, 오징어는 전혀 없고, 팔지도 못할뿐더러 그나마 주문

가능한 것은 꽁치물회 뿐이었다. 그러나 그나마도 꽁치는 냉동이었더랬다. 그래도 그것이 어딘가! 감지덕지해야 할 일이었다. 주위 다른 식당은 벌써 마감인 곳이 태반이었다. 어른들은 물회를, 애들은 치킨을 따로 포장해 가서 숙소의 식당에서 편하게 저녁 식사를 하고 난 뒤, 특전 미사를 올릴 준비를 했다.

7시 30분에 토요 특전미사가 있었다. 이 또한 얼마나 감사한 일인지……. 순례객을 위한 신부님의 덕담도 감사했고, 무반주의 성가도 정스러웠다. 아이들의 인증사진 요청에 흔쾌히 사진을 찍도록 허락해 주셨던 남종우 그레고리오 신부님은 중앙아프리카에서 사목하시다 건강 악화로 들어오셔서 자의로 이 험한 울릉 땅에서 천부성당을 맡아주셨다는 이야기를 데레사 자매님을 통해 뒤늦게 들었더랬다.

독도 경비대 옷을 입으신 분과 몇몇 봉사자, 순례객을 모두 합하여 스무 명도 되지 않는 신자들이 조촐하게 성전에서 미사를 함께 하였다. 시유는 관산동 성당에서, 유준이는 구파발 성당에서 각각 복사를 서느라 주말에 함께 미사를 참례하기 쉽지 않은데 이것도 너무나 감사한 일이었다. 가족들과 함께하는 이 시간, 이 순간을 평생 기억하고 싶다.

-유준이의 일기-

2024년 7월 27일(토)

날씨: 엄청 덥고 습함

<울릉도에서의의 하루>

새벽 3시 30분에 일어나 30분 만에 준비를 마치고 4시에 출발해서 강릉에 도착하니 6시 50분이었다. 배는 8시에 출발해 11시 30분이 넘어서 울릉도에 도착했다.

울릉도에 갈 때 배멀미를 조금 했다. 지금 생각해도 머리가 아팠던 것 같다. 울릉도에 도착해서는 전*식당에서 밥을 먹었다. 주문을 하는데 어떤 아저씨가 우리한테 "애들은 굶기나요? 왜 이렇게 조금 시키나요?"라고 말해서 나는 속으로 '무슨 문제 있나?'라고 생각하기까지 했다.

그때 아빠가 스타리아를 렌트해 오고 나서 식사를 마치시고 우리는 독도 문방구에서 신발과 피규어를 샀다.

그리고 나서 숙소로 갔다. 우리의 숙소는 성당 옆이었다. 조금 쉬었다가 바다 수영을 하려고 나섰다. 나는 더 잘 헤엄치고 싶어서 구명조끼도 벗고 스노클 마스크 대신 수영장에서 쓰는 수경만 끼고 물에 들어갔다. 물고기가 많았다.

우린 저녁으로 반반 치킨을 먹고, 어른들은 만광식당에서 사온 음식을 먹었다.

저녁을 먹고 7시 30분 미사를 드렸다. 시골 성당이라 그런지 사람이 적었다. 미사 중에 좋은 말씀을 많이 들었다.

내일은 좀 늦게 일어나고 싶다.

제2일 독도의 날

⛰ 도동항 - 독도(선회관람) - 독도짬뽕 - 행남해안산책로 - 독도 박물관 - 독도 일출 전망대(케이블카)

치열한 고민이었다.

독도를 언제 갈 것이냐. 파고를 알아보기 위해 다양한 경로로 알아 보았지만 이틀날이나 사흗날이나 거기서 거기였다. 파고는 일관성 있게 0.5~1.5m였고, 접안 가능성은 불투명한 상태였다. 전날 네 시간 가까이 출렁거리는 배를 탔으니, 연이어 또 배를 타야 하나 고민했으나 조금이라도 날씨가 맑은 쪽을 택했다. 그걸 알아보는 시간에 덕이나 더 쌓았어야 했나. 그렇다고 4일 차에 독도를 가자니 날씨가 어떻게 급변할지 아무도 모르는 일이었는데, 지나고 나니 5일 차에도 마음만 먹으면 독도 가는 배를 탈 시간은 되었더랬다.

결론적으로 독도 접안은 하지 못했다. 선회관람으로 대체한다는 선장의 방송에 모두들 한숨을 쉴 줄 알았는데, 수백 명의 승객들의 반응은 생각보다 의연했다.

다시 아침으로 돌아가 본다. 도동에서 7시 20분에 출항하는 배를 타야 했으므로, 한 시간 전인 6시 20분 도동항 도착을 목표로, 다 같이 6시에 출발하자! 하여 5시 30분에 알람을 맞춰놨다. 이 얼마나 계획적인가! 그러나 아이들은 쉽게 일어나지 못했다. 흔들고 깨우고 독도에 가자, 배 타러 가야지, 해서 겨우 깨워 나머지 식구들과 함께 차에 올랐다.

배 타기 전에는 많은 음식을 섭취하는 것이 좋지 않으므로, 간단히 사과와 빵으로 허기진 배를 채우고 멀미약을 먹었다. 내가 차를 대러 간 사이 아내는 표를 발권하기로 하였다.

차를 대는 것은 쉽지 않았다. 도동은 복잡한 곳이었다. 그만큼 번화하고 드나드는 사람이 많아 그러하리라. 그러나 도동 외에도 대부분의 울릉도는 광광지 특화가 되어 있지 않은 느낌이었다. 큰 주차장이 있는 곳도 보기 힘들었고, 해안 도로 역시 일

차선 만큼이나 좁아서 바위 틈으로 난 터널로 진입할 때에는 멀리서 오는 차가 없는지 도로 반사경을 유심히 보며 속도를 줄여야 했으며, 대부분이 언덕이어서 여덟을 태운 우리 차는 헐떡거리기 십상이었다.

그래도 여차저차하여 언덕을 좀 올라가 차를 대고 오니 가족들이 육지에서 준비해 온 태극기 머리띠를 모두 쓰고 있었다. 빨간 배에 울릉도-독도라고 적혀 있는 곳에서 사진도 찍으며 기다리던 아내가 "멀리 가서 차 대느라 고생이 많았어요."라면서 등을 토닥여 주었다.

배에 무사히 탄 것으로 안도의 한숨이 나왔다. 전날 '내일 7시 20분 도동-독도행 정상 운행'이라는 소식을 듣고 배가 뜨는 것이 확실하다는 것은 알았는데, 독도 접안 여부는 독도 근방에 가서 너울성 파도 여부를 육안으로 본 이후에나 정할 수 있다고 하니, 아무리 독도 CCTV를 돌려본다 한들 알 수가 있나.

배는 출렁거렸다. 독도행 배에선 울릉도행 배와 달리 멀미약을 반드시 복용하라는 방송이 연이어 나왔다. 또한 화장실은 여러 사람이 사용하는 공간이고 폐쇄된 공간이니 화장실 안에서 멀미를 하지 말라는 안내도 함께 방송했다. 울렁울렁 출렁출렁 너울이 계속되어 이제 조금 멀미를 하려나 싶어 불안해진 순간, 또 방송이 나왔다. 도착 예정 시각이 30분 늦춰졌다고. 이제는 그냥 맡겨야 할 때다. 독도 땅을 밟지 못해도 너무 아쉬워는 말자. 3대가 덕을 쌓아야 한다고? 그럼 내가, 부모님께서, 조부모님께서 덕을 미처 못 쌓았단 말인가. 그동안 다른 사람에 대한 뒷담화를 하고 조금이라도 내걸 더 챙기려 했던 이기심을 돌아보게 되었다. 그러자 매우 부끄러운 생각이 들었다.

선회관람이 결정된 이후, 문이 열리자 사람들이 와르르 나갔다. 추웠던 실내와는 달리 뜨거운 햇살을 맞으며 동도와 서도가 눈앞에 펼쳐졌다. 강한 바람에 머리카락이 정신없이 흩날리면서도 독도의 위용에 감탄하며 사람들은 머리 위로 휴대폰을 일제히 들었다.

아내는 선크림을 잔뜩 바른 얼굴에 머리카락이 붙어 어찌할

줄을 모르는 모습이었다. 그럼에도 우리는 가능한 만큼 사진을 많이 찍어 두어야겠다 싶어 일단 뱃머리 쪽으로 향했다. 장인어른께서 유나를 맡아 데리고 계셨고, 시유는 어머니와 함께 있는 걸 확인한 후 나는 아내를 데리고 함께 이동하기 시작했다. 그러나 인파에 막혀 시유와 어머니, 유준이와 장모님은 따라오지 못하는 것 같았다.

배는 속도를 줄였다. 사람들이 골고루 관람할 수 있게 뱃머리를 반대쪽으로 돌리기도 하였다. 남는 건 사진뿐이려니 싶어 막 찍다 보니 아내는 학교에서 독도교육을 하던 생각이 난다고 했다. 이제 자신이 직접 찍은 사진을 교육 자료로 쓸 수 있겠구나, 하고 말이다. 나 역시 학기마다 나라사랑교육이나 독도교육을 하던 때를 생각했다. 이제는 내가 피부로 직접 느낀 바다의 바람과 땅을 밟아보지 못해 안타까운 마음, 그리도 직접 두 눈으로 보았으니 참 감사한 마음 등 이 순간의 나의 감정을 그때마다 되새겨볼 수 있겠지.

아이들은 무엇을 느꼈을까. 부모님은 어떠셨을까. 더 이야기를 많이 나누고 오지 못함이 지금 생각하니 아쉽다. 그저 사진만 찍을 것이 아니라 많은 대화를 나누었어야 했는데 말이다.

-유나-

독도를 보니 가서 발을 디뎌보고 싶고, 우리나라의 힘들었던 역사가 생각나서 여러 마음이 한꺼번에 들었다. 독도의 역사 생각이 나서 항상 지켜주고 싶은 마음이 들었고, 독도의 풍경이 너무 멋져서 꼭 땅을 밟아보고 싶고, 우리나라 땅이어서 하느님께 정말 감사한 마음도 들었다. 나는 우리나라 사람들이 독도를 얼마나 좋아하는지 알 수 있었다. 바로 독도의 역사 덕분에……. 독도는 우리나라의 자랑이자 미래의 희망이 될 것이다. 독도야, 사랑해!

점심으로는 아이들의 바람대로 중식을 먹기로 하였다. 독도짬뽕이라는 곳에 가서 그래도 여기는 섬이니 해물 짬뽕과 해물 쟁반 자장은 뭔가 다르겠지 싶었다. 멀미가 심하면 밥도 잘 먹히지 않는데 그래도 참 다행이었다. 다들 한 그릇씩 뚝딱 하고는 부른 배를 두드리며 소화를 시켜야겠다 싶어 그 뜨거운 날씨에 행남해안산책로를 조금 걸어보기로 했다.

해안가의 큰 바위 둘레로 좁은 길을 따라가다 보니 갈매기가 마치 여기가 제 땅이라고 하는 것마냥 자리를 지키고 있었다. 물은 또 어찌나 맑던지, 아내는 계속 "풍덩 하고 싶다!" 하며 감탄하였다. 나 역시 바로 입수하고 싶을 정도였다. 아쉽게도 길은 우리가 택한 방향으로는 짧은 구간밖에 남아 있지 않았고, 반대 방향으로도 가보자니 해도 뜨겁고 너무나 더워서 식구들을 지치게 하고 싶지 않았다.

그저 배만 탄 기억만 남기고 싶지 않아, 독도 박물관에도 들러보기로 했다. 케이블카를 타면 전망대에도 오를 수 있다고 하니 오후의 일정은 그곳에서 마무리를 하기로 하였다. 주차장에 차를 대고 나서도 언덕이 한참 나와 시유는 이게 실화냐며 살려달라고 하였는데, 나 역시 같은 심경이었다. 그래도 여기까지 왔는데 유나가 끊임없이 "일본이 왜 독도를 탐내냐"고 물어보는 것에 대한 설명을 입으로만 해주는 것이 아니라, 눈으로도 볼 수 있게 해주고 싶었다.

독도 박물관에는 해녀에 대한 전시뿐 아니라, 최초로 독도로 주민등록을 옮긴 최종덕의 이야기가 영상으로 펼쳐지고 있었다. 그의 딸이 회상하는 아버지 최종덕, 당시 열 시간이나 걸려 독도에 도착해 외롭게 생활해야 했던 그의 노고와 아내의 헌신이 있었기에 우리나라가 독도에 대한 영유권을 오늘날까지도 주장할 수 있게 된 것이라는 생각이 들었다.

전시 관람을 하는 동안 온라인으로 케이블카 티켓을 예매하였다. 독도명예주민증이 있으면 더 할인이 된다고 한다. 독도에 다녀온 후 익일부터 독도명예주민증을 발급받을 수 있는데 사동에 있는 독도관리사무소에서 현장 신청을 하거나 인터넷으로 신청하면 된다고 하여 우리는 이틀간의 연이은 항해로 피곤함을 핑계로 사동까지 가지는 않기로 하였다. 독도 승선권과 증명사진이 필요한 데 다음에 울릉도에 다시 오게 되면 요긴하게 활용할 수 있을 것 같다.

케이블카 안은 에어컨이 나오지 않아 덥기는 하였으나 열린 창문 틈으로 바람이 새어 들어와 갑갑하지는 않았다. 케이블카에 같이 탑승하신 안내원께서도 “이 바람은 여기서만 맛볼 수 있는 바람입니다.”라고 말씀하셨다. 어머니 두 분은 케이블카를 타고 올라가며 본 여러 가지 식물에 대해 질문을 하시며, 혹시 먹을 수 있는 것이 있는지 궁금해하셨다. 역시 어머니는 대단하시다.

케이블카를 타고 도착한 독도일출일몰전망대는 한산했던 독도박물관보다 더 인적이 드물었다. 우연찮게 함께 독도행 배에 승선했던 한 가족을 계속 마주쳤는데, 나중에는 인사도 주고받았으니 만날 때마다 반갑게 느껴졌다.

노란 표지판에 '독도 87.4km' 떨어져 있음이 적혀 있었고, 표지판이 향하는 곳에는 망망대해가 펼쳐져 있었다. 독도는 육안으로 보이지 않았다.

사실 전망대까지는 계단으로 더 올라가야 했다. 시유는 일 년치 걸음을 다 걸었다며 지친 내색이었는데도 부지런히 올라갔다. 끝까지 가서 드넓게 펼쳐진 동해를 보니 마음도 뻥 뚫리는 느낌이었다.

"여기서 공식적인 오늘의 일정이 끝났습니다!"

-유준이의 일기-

2024년 7월 28일(일)

날씨: 덥고 바람이 많이 붊

<독도 여행>

나는 오늘 아침 5시 30분에 일어나 6시까지 독도 갈 준비를 했다. 하지만 오늘은 이상하게도 일어나기가 힘들었다. 그 이유가 어제 너무 빨리 일어나서인 것 같다.

차를 타고 20~30분 정도 가면 울릉도에서 독도로 가는 배가 있는 항구가 나온다. 도동항이라고 하였다. 아빠는 차를 주차하러 갔다. 오랫동안 오지 않으셨다. 사진을 조금 찍으며 아빠를 기다렸다.

독도에 가는 배에서 <나홀로 집에>를 틀어주었다. 잠을 많이 안 자서 그런지 멀미도 조금 나고 추웠다. 1시간 40분쯤 뒤에 독도에 도착했다. 원래 파도가 별로 안 치고 바람이 안 불어야지 독도에 발을 디딜 수 있는데 우리가 갔을 땐 바람도 많이 불고 파도도 꽤 쳐서 독도 땅을 밟지 못하고 독도를 아주 가까이에서 볼 수는 없었다. 정말 진짜 말도 못할 만큼 슬프고 후회스러웠다. 그래도 '지나간 일에 새로운 눈물을 흘리지 말자'라는 명언을 생각하며 사진이라도 많이 찍어야지 했다. 독도명예주민증도 얻고 싶다. 엄마는 인터넷으로 만들어주신다고 하셨다.

앞으로 내가 봤던 독도를 생각하며 애국심을 키우고 이참에 독도에 대한 공부를 많이 해야겠다.

"독도 수비대님들, 너무너무 감사드립니다! 앞으로도 우리 한국의 땅, 독도를 지켜주세요! 우리도 다함께 노력할게요! 다시 한번 감사드립니다!"

-유나의 일기-

2024년 7월 27일(토)~28일(일)

날씨: 비가 왔다, 안 왔다. 어지러운 날씨다.

<울릉도에 와서 배 타고 독도도 갔다 돌아옴>

어제 난 새벽 3시 30분에 일어나서 준비하고 50분에 집을 나섰다. 4시에 할머니와 시유언니를 삼송에서 만나 같이 강릉에 갔다. 원래 같으면 고모랑 고모부, 시아언니랑 할아버지까지 엄청 많이 갔을 텐데 다들 일정이 있어서 시유언니와 친할머니만 간 거다.

강릉에서 외할머니와 외할아버지도 만나서 대충 7시에 빵을 먹었다. 그리고 멀미약을 먹었다. 8시에서 11시 30분까지 배를 탔다. 멀미약을 먹기도 하고 귀 밑에 붙이기도 했는데 속이 울렁거려서 3시간 30분 동안 힘들었다.

하지만 도착하고 난 뒤엔 달랐다. 울렁함이 사라지고 기분이 너무 좋았다. 숙소에 가서 수영복을 갈아입고 바다에서 수영하고 잘 준비하고 잤다. 자고 새벽 5시 30분쯤에 일어나서 6시에 배를 타고 독도에서 사진을 찍다가 울릉도에 돌아와서 독도짬뽕에서 짬뽕을 먹고 숙소에 돌아왔다. 그리고 식당과 방을 5번 정도 왔다갔다 하면서 이 일기를 쓰는 것이다. 열심히 놀다 보니 이틀 치 일기를 이렇게 단숨에 쓰게 되었다. 뭔가 많이 했는데 일기를 이렇게 짧게 쓴다고 엄마가 뭐라고 하셨다.

난 다시는 배를 타고 싶지 않다.

제3일 오히려 좋아!

석포일출일몰전망대 - 예림원 - 카페울라 - 숙소 - 나리분지

울릉도에 대해 조사할 때부터 관음도에 꼭 가보고 싶었다. 섬 옆의 섬. 육교로 연결되어 있어 배를 타지 않고도 갈 수 있다는 매력과 함께, 관음도에서 보는 바다는 또 어떤 모습일까 궁금하기도 하였기 때문이다.

그러나 유난히 계획적으로 동선을 짜던 소싯적의 버릇을 과감히 내려놓고 여유에 마음을 맡긴 이번 여행의 치명적인 오점이 드러났으니, 관음도는 7월 말까지 공사중이라는 것을, 차를 타

고 가는 동안에야 알게 되었다는 것!

유준이가 간밤부터 열이 나기 시작했다. 평소 물이라면 사족을 못 쓰고 엉덩이나 머리부터 집어넣는 아들인지라 바다 수영이 과해서 그런 것 같지는 않았고, 스타리아의 운전석과 조수석 사이에 앉아 강한 에어컨 바람을 쐰 것, 울릉도행, 독도행 배 안이 유난히도 추웠던 것을 감안해 보면 냉방병인 것도 같았다.

그래서 관음도에 다녀오는 시간을 계산해 보니 왕복 15~20분에, 둘러보는 시간 1시간 하여 넉넉잡고 1시간 반 정도기에, 숙소에서 차라리 잠을 좀 더 자고 있으라고 했다. 아이가 이제 좀 커서 냉장고에서 간식도 꺼내 먹고 혼자 집도 볼 수 있는 나이가 된 것이 새삼스럽게 감사했다. 더 어릴 때, 아이들이 열이 났을 때 어떻게 했더라. 응급실에도 가고, 발을 동동거리며 인터넷도 찾아보고 했을 텐데, 우리에겐 무적의 할머니들이 있다! 어른들도 크게 걱정하지 않으셨다. 아이는 하루 이틀 아프다 말 거야, 푹 쉬면 금방 나을 거야.

하여 약간은 무거운 마음으로 유준이를 두고 관음도로 향하는 차 안에서, 관음도를 지도에서 찾아보았을 때는 분명 운영중이라고 하였는데, 주차할 공간을 물어보려 전화를 했더니 공사중이라 입도가 안 된다는 청천벽력 같은 소식을 들었던 것이다.

어쩔 수 없지, 하며 차를 돌림과 동시에 어디를 가지 검색하다, 관음도가 보이는 전망대를 찾아가 보자 해서 알아본 곳이 석포일출일몰전망대였다. 석포 전망대는 계획에 전혀 없었던 곳이었다.

전망대에 가다가 삼선암이 보이는 곳이 어찌나 아름다운지, 차를 멈추지 않을 수가 없었다. 기암괴석 사이로 빼꼼 드러난 삼선암의 위용은 이루 말할 수가 없었다. 등 뒤에는 바위 절벽이, 눈 앞에는 드넓은 푸른 바다가, 머리 위에는 뜨거운 햇살과 파란 하늘이……!

전망대 근처에 차를 대고 10분 정도만 올라가면 된다는 정보만 입수하고 주차를 한 뒤 걸어 올라가는데, 왠지 느낌이 심상치 않았다. 언덕의 경사가 예사롭지 않았던 것이다. 이제 겨우 도착인가, 싶어 헥헥거리며 관음도를 내려다보니 "우와!" 경탄이 저절로 나왔다.

엄마는 그 와중에도 전날 케이블카 안내원에게 듣고 인터넷으로 찾아본 '전호나물'에 대한 정보를 바탕으로 한 손 가득 나물을 뜯고 계셨다. 저렇게 한 두 걸음 가다 멈추고 허리를 굽히면 힘드실 텐데도, 나물로 뭐 해 먹을까 기대하시는 모습을 보니 두 번째 경탄이 나왔다.

아빠께서 농담인지 진담인지 "저기 수풀 사이로 난 길 따라 더 가면 굉장한 게 나온다."고 하셨는데 나와 시유, 유나는 그냥 하신 말씀인 줄 알고 그 자리에 가만히 있었으나 나머지 식구들은 정말로 그 길을 따라가서는 자취를 감추었다. 별게 없으면 다시 전화가 오겠지, 하던 찰나 정말 남편으로부터 전화가 걸려 왔는데 "안 오고 뭐해?"라는 게 아닌가.

한참을 궁시렁거리며 올라가는데, 등산을 하는 기분이었다. 포장되지 않은 숲길이 나쁘진 않았으나 가 봐야 뭐가 있을까 싶었던 생각이 들었기 때문이리라. 그런데 이게 웬걸!

시유의 표현대로라면 지브리 애니메이션의 한 장면 같았다는 숲길 너머의 바다가, 그동안 본 어떤 풍경보다도 널찍하게 펼쳐져 있었는데, 그 이유는 그곳이 일출뿐만 아니라 일몰까지도 볼 수 있는, 거의 사방이 트인 편평한 곳이었기 때문이다. 정자가 하나 있고, 거기서는 왼편으로 송곳산에서부터 뒤편으로 관음도와 죽도까지도 내려다보였다.

"우우우우와아아아!"

예상치도 못한 곳에서 예상치도 못한 감동을 받았다. 열이 나는 아들도 잊고 한참을 머물러 있었다. 사람이 아무리 마음으로 계획하여도 그의 발걸음을 이끄는 분은 주님이시라는 성경 구절

이 떠올랐다.

위에서 내려다본 바다는, 너울성 파도로 접안을 못해 속상했던 전날, 출렁출렁하던 배에서 느낀 바다와는 달리 평온하기 그지없어 보였다. 그 풍경을 한마디로 표현하자면, 평화, 그 자체였다.

그제야 유준이 생각이 났다. 같이 봤으면 좋았을 텐데……. 하지만 열도 나고 머리도 아파하는 상태였으니, 아이를 끌고 이 언덕길을 올라오는 것은 무리를 넘어 불가능했을 터이니, 잠시나마 더 쉬라고 숙소에 두고 오길 잘했다는 생각으로 이어졌다.

-유나-

우리는 달팽이처럼 느릿느릿 힘들게 전망대에 갔다. 가서 사진을 찍으며 쉬었다. 근데! 두둥!!! 아악!!! 안돼!!! 전망대는 훨씬 위에 있었던 것이다. 난 한참을 힘겹게 올라갔는데 영화 지브리에 나오는 풍경 같았다. 난 너무 깜짝 놀랐다. 어떻게 이런 풍경이!! 난 나무 그늘에 앉아서 사진을 찍었다. 높으니까 바람이 쏴~ 불어와서 너무 시원했다.

하산하는 길에도 엄마는 나물을 계속 뜯으셨다. 결국 양손으로도 모자라 모자에 한가득 나물을 담은 엄마의 표정은 흡족하

기 그지 없었다. 아빠는 저걸 어떻게 다 먹냐며, 이제 외식은 글렀다고 하시고, 남편은 귓속말로 독이 있는 건 아니냐는 의심을 하였다. 내가 보기에도 합리적인 의심이었다.

자는 유준이를 깨워 예림원으로 향했다. 지금 생각하면 부모님께서 궁금해하시던 이장희 갤러리와 카페가 있는 울릉아트센터를 가는 것이 나았나 싶기도 한데, 당시는 사람들이 왜 예림원이 그렇게 좋다고 했을까 궁금한 마음이 더 컸던 것 같다.

문자조각공원이라 이름붙여진 곳답게, 군데군데 예술작품이 눈에 띄었다. 조각상과 예술품은 그 자체로 존재하는 것이 아니라 아래로 펼쳐진 바다를 배경으로 복합적인 가치를 지니고 있다는 생각이 들었다.

'살어리 살어리랏다
청산(靑山)애 살어리랏다.
멀위랑 ᄃᆞ래랑 먹고
청산(靑山)애 살어리랏다.
얄리 얄리 얄랑셩
얄라리 얄라.'

뜻밖의 사슴과 뜻밖의 작은 폭포와, 뜻밖의 연꽃, 뜻밖의 송곳산 풍경에 잠시 취했다가, 아이들이 얼빠진 표정을 하며 힘들어하는 것이 눈에 들어왔다. 그래, 군소리 없이 열심히 쫓아다녔으니 보상이 필요할 때지.

그래서 향한 곳이 카페 울라였다. 송곳산 배경으로 울라가 위엄 있게 서 있고 그 앞에서 찍은 사진이 '울릉도 좀 다녀왔다는 사람'들의 인증사진으로 각인될 정도로 유명한 곳인지라, 빼고 갈 수가 없었다.

간 김에 음료도 한 잔 시켜 먹어야겠다, 하고 이것저것 키오스크로 담고 나서 계산하려 보니 깜짝 놀랐다. 이게 찻값인지, 밥값인지……. 그래도 주위에 조성된 야외 공간과 달리 내부는 자리가 몇 없어 다소 협소했는데 우리보다 앞서 휴식을 취하던 일행이 "여기 앉으세요." 하며 선뜻 자리를 내어주어 다행이었다. 넓지 않은 공간에 앉을 자리가 있음과 더불어, 우리 일행의 주문을 끝으로 잠시 브레이크 타임이라 하니 마음이 누그러졌다. 우리 네 식구만 있는 것이 아니라 부모님과 아이들이 있음으로 해서 경제적 지출이 커지는 것에 죄책감을 덜 느끼게 되는 것이 대가족여행의 맹점이긴 하나 장점이 될 수도 있는 듯하다.

유준이는 여전히 머리가 아픈 상태였으나, 빙수를 열심히 퍼먹는 걸로 봐서 이제 나으려나 싶기도 했다. 여자아이들이 주문한 파르페처럼 생긴 음료는 묘하게 치약 맛이 나기도 하고, 마시멜로우가 지나치게 많이 올려져 있어 부담스럽긴 하였으나 특색 있는 음료와 빵을 맛볼 수 있어 점심 무렵의 허기를 잠시 달랠 수 있었다.

하지만 그걸로 점심을 대신할 수는 없어 결국 숙소에 가서 뒤늦은 점심을 해결하기로 하였다.

전호나물은 물에 한참 담가두었다가 데쳐 먹었다. 숙소에 올라오다 들른 마트에서 두부와 초고추장을 샀다. 언덕에 편의점이 하나 있는데 들어가 보면 한 코너는 마트처럼 야채와 청과

물, 고기 등을 팔고 있는 것이 신기했다. 두부는 어머님께서 만들어오신 강된장에 넣어 된장찌개를 해 먹고, 초고추장에 나물을 데쳐 찍어 먹기로 했다. 그 와중에도 남편은 귓속말로 "사진이랑 나물이 달라 보이던데……."라며 걱정했고, 마트에서 만난 아주머니도 "지금 전호나물이 나올 시기가 훨씬 지났는데……." 하셨고 나도 속으로 '고사리도 다 큰 건 안 먹는데…….' 생각했으나 엄마의 자신만만함에 넘어가 모두들 한입씩은 먹을 수밖에 없었다.

울릉도는 섬이긴 하지만 산에서 나물이 많이 난다고 한다. 부지갱이 나물, 전호나물, 삼나물, 취나물 등 여러 종류의 나물이 도처에 가득한 걸 보면, 화산섬에서 이토록 풍요로운 음식을 탄생시킨 조물주의 뜻이 참 신기하다.

한참을 나물을 드시던 엄마들의 한 마디로 식사는 끝이 났다.
"입 안이 좀 아린데……."

우리가 있는 동안 구름은 잠깐씩 꼈어도 늘 파란 하늘을 볼 수 있었고, 일기예보에 비가 잠깐 온다고 했으나 빗방울은 하나도 볼 수 없었다. 그렇게 맑으니 해가 뜰 때에도, 해가 질 때에도 노상 아름다운 풍경을 볼 수 있었다.

그래서 우리는 저녁 무렵에 나리분지에 들렀다가 일몰을 감상하기로 하였다. 나리분지는 사실 별로 감흥이 없었으나 천부까지 가서 지척인 곳이라 아예 들르지 않으려니 나중에 아쉬울 것도 같았다.

숙소에서 충분한 휴식을 취한 뒤 나리분지로 가는 길은 평탄하지만은 않았다. 굽이굽이 산길을 지나 모두 "여기구나!" 할 정도로 나리분지가 반갑기도 하였다. 어딜 봐도 언덕길뿐이었는데 그곳은 역시 분지구나 싶게 산을 병풍처럼 둘러치고 편평한 땅이 펼쳐졌다.

너와집과 투막집, 우데기를 보며 부모님께서는 "라떼는 말이야. 이런 데서 잠도 다 같이 자고, 아궁이에 불을 때어야 방이 뜨끈뜨끈해졌지. 변소에서 변을 보다 잘못하면 빠지기도 하고,

똥물이 튀어 엉덩이에 묻는 건 다반사였지."라며 손주들에게 열심히 옛날이야기를 들려주셨다.

-유나-

울릉도에 이렇게 평평한 곳이 있다는 것이 정말 신기하고, 할머니들도 아궁이랑 뒷간을 사용했다는 게 놀라웠다. 아, 그리고 산에 둘러싸인 평지가 있다는 게 너무나도 놀라웠다.

우데기를 실제로 보았다. 우리 할머니들도 집에 우데기가 있었을까? 교과서에서 보던 것을 실제로 보니 신기했다. 누가 우데기 짓는 것을 알려준 걸까? 사람들은 어떻게 이런 걸 만들 생각을 다 했는지 궁금하다.

울릉의 겨울이 너무나 궁금할 정도로 푸르른 여름날, 상상해본다. 눈이 그렇게나 많이 온다는데, 그 눈의 수분으로 밭에 물을 공급하고, 바닷물로 영양을 보충해 농사를 짓는다는 그 섬에서, 우데기의 필요성은 얼마나 컸을까. 그런 조상들의 지혜를 아이들이 잠시나마 보고 느낄 수 있는 시간이어서 감사했다.

울릉도에는 여러 곳의 일몰 명소가 있었는데 행운스럽게도 우리가 묵었던 천부항도 그중의 하나였다. 멀리까지 갈 것 없이 천부항에서 아름다운 노을을 구경하였다. 북적거리는 인파도 없이, 시끌벅적한 이벤트도 없이, 각자 자기 자리에 있다가 우연히 마실을 나온 것처럼, 편안한 마음으로…….

-유준이의 일기-

2024년 7월 29일(월)

날씨: 맑음. 그냥 맑음.

<냉방병??>

오늘은 6시가 다 되어 잠이 깨었다. 그런데 힘이 너무 없고 머리가 너무 아팠다. 그래서 '아, 오늘은 내가 이상한 자세로 잤나 보다.'라고 생각했다. 그리고 다시 잔 다음 일어났는데 더 몸이 안 좋았다. 그래서 엄마한테 말씀드렸다. 그랬더니 엄마가 냉방병인 것 같다고 하셨다. 아빠는 머리를 짚으시더니 열이 좀 난다고 했다.

일어나 식당에서 TV를 봤다. TV에서는 올림픽 중계 방송이 한창이었다. 방송을 보며 밥을 먹으려고 했는데 밥이 넘어가면 머리가 너무 아파서 그 좋아하는 카레를 4분의 1 정도 밖에 못 먹고 약을 먹었다.

나는 힘도 없고 머리도 아프고 열도 나는데 식구들이 관음도 구경을 하는 사이 차에서 자면 될 것 같아서 옷을 챙겨입고 따라 나서려고 했지만 어른들은 그냥 숙소에서 자라고 하셨다. 관음도는 숙소에서 가까워서 시간이 많이 걸리지 않기 때문이었다. 그래서 혼자 두 시간 정도 잔 것 같다.

엄마한테 전화가 왔다. 예림원에 간다고 하셨다. 그래도 한숨 자고 나니 조금은 괜찮은 느낌이었다. 다행히 예림원은 멀지 않았다.

표를 끊고 들어가 조금 위로 올라가니 이런 말이 있었다.

'발을 내려다보지 말고 별을 올려다 보아라.'

예림원에는 수국과 연꽃이 있었다. 또 사슴도 3마리 있었다. 나는 할아버지와 다니면서 끝말잇기를 했다. 잠시 앉아서 쉬기도 했는데, 끝말잇기를 하다 보니 다른 식구들도 전망대에서 내려왔다.

그리고 이동한 곳은 카페 울라였다. 울라는 울릉도 고릴라다. 울라는 수컷, 울리는 암컷이다. 그럼 울리는 울릉도 고릴리인가? 여기서 레모네이드랑 맛있는 빙수를 먹고 경치를 구경한 뒤 다시 숙소에 돌아가 쉬었다. 머리가 계속 아팠기 때문이다. 한참을 쉬고, 배가 고파 밥도 먹고 하다가 가족들이 다시 나선다고 했다.

이번에 간 곳은 나리분지였다. 여기선 울릉도 전통 집을 볼 수 있었는데 학교에서 배운 우데기도 있었다. 똥을 싸던 헛간도 있었는데 엄청 더럽다고 생각했지만 지금 여기 똥을 싸는 사람은 없어서 그런지 냄새는 나지 않았다.

가족들은 해가 지는 걸 보러 가자고 하였다. 난 해가 지기 전까지 꽃게를 잡았다. 그래도 시간이 많이 남아 카페에 들어가 빙수를 한 번 더 먹고, 다시 꽃게 잡기에 도전했는데 아빠가 소리를 지르셨다. 아까 처음에 만졌던 물이 아니라 이 물은 화장실 물이라고, 냄새가 나는 하수도 물이니 얼른 손 씻으러 올라오라고. 그러고 보니 정말 냄새가 났다. 아까 똥간에서도 이런 냄새는 안 났는데. 해 지는 건 예뻤는데 아직 몸이 좀 안 좋은 느낌이었다. 약을 먹고 자는 동안 부모님께서 머리에 차가운 수건을 올려주시는 게 느껴졌다. 재밌었지만 진짜 엄청 아팠던 하루로 기억이 된다.

-유나의 일기-

2024년 7월 29일(월)

날씨: 역시 울릉도의 날씨는 짱이지!

<전망대>

그저께 난 아침으로 짬뽕 맛이 나는 라면을 먹었다. 그 다음 옷 입고, 양치하고, 파리올림픽을 실컷 보았다. 그리고 케이블카를 타고 올라갔다가 내려와서 차 타고 전망대 주차장에 주차를 하고 20분 정도 올라가서 쉬면서 사진을 찍고 있는 순간! 이곳이 전망대 끝이 아니라 진짜 전망대는 더 위에 있다는 것을 알게 되었다.

정신이 나가서 멍을 한참 동안 때리고 있다가 엄마를 따라 올라갔다. 근데 다행히도 전망대는 완전 높은 곳에 있어서 도착했을 때 바람을 맞으면서 사진을 수백 장 찍고 내려와서 예림원에 가서 또 사진을 찍다 울라 카페에 갔다. 나는 울라와 사랑에 빠졌다.

그 카페에서 울라 가방을 샀다. 너무 예쁜 가방이었다. 엄마는 비싸다고 하셨지만 나는 이 가방을 보며 울릉도에서의 추억을 계속 생각할 수 있어서 좋을 것 같았다.

제4일 옥색 바다에 마음을 빼앗기다

태하 관광 모노레일 - 태하 향목 전망대, 대풍감, 태하 등대 - 울릉 식당 - 카페 래우 - 학포항 - 남양항, 남양 해수풀장 - 비치온회 센터 - 숙소

전날 시유가 파리올림픽 남자 양궁 단체전을 홀로 끝까지 보며 성호경을 3백 번은 더 그었다고 할 정도로 열정을 불태웠다는 소식을 4일 차 아침에 어머님으로부터 전해 들었다. 주몽이 환생한 듯 10점을 척척 맞추던 선수들의 신들린 듯한 경기로 금메달이란 쾌거를 이루었다는 기쁜 소식으로 시작한 하루였다. 우리는 모두 피곤해서 전날 저녁 일찍 잠자리에 들었기 때문이다.

아이들이 '전망대'라면 이제 질렸을 것 같아 말도 못 꺼내다가 이날은 결국 태하향목전망대를 거쳐 서면을 훑기로 했다. 학포항을 들러 남양항을 지나 사동에서 저녁을 먹고 숙소로 돌아오면 완전히 섬을 한 바퀴 일주하는 셈이다. 그렇다 하더라도 아직 가보지 못한 곳이 많아 울릉도는 내겐 미지의 영역이 더 큰 섬이기는 하다.

출발 전, 태하 관광 모노레일을 미리 예약하며 할인을 조금 받았는데, 다시 독도명예주민증이 생각나는 시점이었다. 아마도 울릉의 매력을 느낀 이들이 다른 지인을 데리고 다시 울릉을 방문하여 또 같은 곳을 찾았을 때 보다 경제적인 관광을 즐기라는 선물 같은 것이 아닐까? 어쨌든 아직 우리 손에 명예주민증은 없었으므로 그 정도의 할인도 감사해야 할 일이었다.

주차장에 도착하니 많은 사람들이 이미 산책로를 걸어가는 모습이 보였다. 문제는 바다를 끼고 절벽 아래에 이어진 산책로가 평지로 이어진 것이 아니라 오르막이라는 것, 그리고 구름 한 점 없는 하늘 아래 뙤약볕이 기승을 부리고 있다는 것이었다. 바람도 불지 않는 날씨였다.

모노레일을 기다리는 사람들의 줄이 길기도 마찬가지였다. 그러나 제주도를 생각하면 이 정도는 인파라고 할 수도 없었다. 안내원 아저씨는 모두 조금씩 양보하면 에어컨이 있는 실내에서 대기할 수 있으니 서로 배려해 주라는 말씀을 하셨다.

모노레일은 한 칸에 20명 정도가 탈 수 있는 규모로 두 칸이 운영되고 있었다. 생각보다 가파른 경사를 올라가기에 좀 놀라웠다. 그리고 올라갈 때마다 시야에 들어오는 바다의 면적이 점차 넓어져서 멋진 풍경을 감상하다 보니 조금씩 조금씩 정상과 가까워졌다.

전망대의 특징.

1. 전망대는 결코 만만한 곳에 있지 않다.
2. 끝인 줄 알았던 곳이 시작이다.
3. 하지만 전망대에서 보이는 것은 예상보다 훨씬 멋지다.

모노레일에서 내려 다 같이 산길을 올라갔다. 경사가 완만해 등산로라 하기는 뭐하고, 둘레길 정도의 느낌이었다. 나무 그늘도 제법 시원해서 그리 덥다 여겨지진 않았다. 그러나 15분쯤 걸었을까, 어느 순간, 태하 등대가 등장하면서부터 그늘은 자취를 감추었다. 그제야 정상에 가까워진 것이다. 등대를 우측에 놓고, 좌측에 계단 길이 다시 보였다. 그 너머엔 바다……. 저기 보이는 것이 대풍감이구나, 다소 무미건조하게 풍경을 감상하려는데 남편이 "대희야, 이리 와봐!"하고 외치는 소리가 들렸다.

가까이 다가가서 본 대풍감 아래로 뭐라 형언할 수 없는 색의 바다가 파도를 뽐내며 바위를 쳐대고 있었다. 옥색, 에메랄드색, 비취색……. 머리를 쥐어짜도 그 색을 표현할 길이 없었다.

아, 대풍감은 그저 거들 뿐이었구나.

대풍감. 그러고 보니 이름도 독특하다. 처음에는 뭐가 대풍감이라는 건지 알 수가 없었으나 '바람을 기다리는 절벽'이라는 뜻을 듣고는 무릎을 탁! 칠 수밖에 없었다. 옛날에 석 달 열흘 동안이나 산불이 났었는데, 향나무 타는 냄새가 강원도까지 풍겨와, 사람들이 울릉도에 큰불이 났음을 알았다는 유명한 이야기가 있다. 혹자는 그 냄새가 일본에까지 전해졌다고 하던가. 그래도 몽땅 소실되지는 않았는지 군데군데 내가 주인이다, 하는 것 같은 향나무가 모습을 드러내고 있었다.

"풍덩 하고 싶다!"
몇 번을 외쳤는지 모르겠다.

"엄마, 그러다 죽어요."
아들의 대답이었다.

정신 차리고 보니 식구들은 벌써 시야에서 사라지고 있었다. 아무리 비경이어도 이날 햇빛이 어찌나 뜨거운지 더는 힘들다는 것이었다. 식구들을 따라 하강하는 모노레일을 기다리고 있는데 큰 선풍기라도 없었으면 아이들에게 미안함까지 느껴질 터였다. 꽉 채운 모노레일을 한 대 보내고, '오히려 좋아! 앞 칸에 탈 수 있겠어!'라며 뜨거움을 참아내고 대풍감이 선물한 풍경을 다시 눈앞에 그려보았다.

점심도 따로 생각해 둔 곳이 없어, 엄마가 주차장 가면서 보셨다는 울릉 식당이라는 곳에 가기로 하였다. 따개비 칼국수를 아직 한 번도 맛보지 못해, "칼국수랑 비빔밥, 그리고 물회요!" 했더니 비빔밥도 재료가 없고, 물회도 안 된다고 한다. 이제는 놀랍지도 않았다. 여름이니 회에 목숨을 걸 일도 없고, 그냥 반찬과 밥만 있으면 되지, 싶어서 칼국수라도 내어주심을 다행으로 여기고 정식을 주문하였다.

아이들은 ‘정식이란 게 이런 거였어?’, ‘칼국수 색깔이 왜 이래?’라는 실망스러운 눈빛으로 밥상을 내려다보았지만, 막상 해산물로 육수를 낸 칼국수 국물을 입에 대니 불평도 없이 맛있게 먹는 모습이었다.

아침부터 우리 부부가 고민했던 것은 스노클링이었다. 서울에서 잔뜩 장비를 챙겨는 왔으나, 어제와 그제는 물에 들어가 보지도 못하고, 유준이는 아직도 컨디션이 별로라 약을 먹고있는 상황이었다.

결코 아이들이 아플 수 있는 무리한 일정은 감행하고 싶지 않았기에, 부모님과 아이들을 ‘래우’라는 카페에 모셔다드리고, 음료와 새우빵을 주문해 드린 뒤에 “다녀오겠습니다.”라는 말을 남기고 둘이서만 학포항을 다녀오기로 했다. 부모님의 배려로, 이번 여름, 우리 부부에게 처음으로 단둘이 있을 시간이 주어진 것이었다. 그러나 낭만은 없었다. 일분일초가 아쉬웠기 때문이었다.

학포항엔 생각보다 사람이 없었다. 두어 가족이 스노클링을 즐기고 있었고 파도가 생각보다 좀 있어 보였다. 그래도 방파제와 구명조끼가 있어 안심을 하고 입수하였다.

‘왜 물고기가 없지?’하고 눈을 크게 뜨니, 물고기가 없는 것이 아니라 너무 깊어 물고기가 생각보다 아래에 있었고, 또 크기도 작아서 잘 보이지 않는 것이었다.

야심차게 준비한 소세지를 조금 뜯어 주면서 앞으로 가다 보니 오리발 덕분인지 생각보다 너무 멀리까지 가버려 남편이 보이지 않았다. 남편은 오리발도 없고 구명조끼도 입지 않은 상태여서 나만 중무장한 상태로 멀리 나와 있다 보니 슬금슬금 걱정이 되어 다시 오던 길을 되돌아갔다. 조류의 온도가 달라지며 순간 따뜻한 물이 온몸을 감쌌다가, 다시 찬물이 느껴졌다 하는 것이 새삼스럽게 느껴졌다.

돔과 이름 모를 물고기와 복어처럼 생긴 작은 물고기를 보고 물고기 이름 공부를 좀 할 걸, 하다가 남편의 스노클이 눈에 들어왔다. 남편은 소세지를 소중하게 손에 쥐고서 물고기를 유혹하고 있었다. 역시 복어처럼 생긴 녀석은 새끼 복어였고, 꼬리가 갈라진 녀석은 새우였다. 웃음이 나왔다. 학포항엔 새끼들이 많구나! 아이들도 봤으면 좋았을 것을, 하는 생각이 들었다.

물이 오염될 수 있으니 소세지는 아주 작은 조각으로 준비하였다. 새끼 복어가 와서 입에 넣고 퉤! 뱉는 것을 보고 녀석 입맛이 아닌가 보다 하였는데, 남편은 그걸 보고 자기가 먹을 만큼만 먹고 가는 거라고 하였다.

나는 약간 손끝이 저릴 때쯤, 남편은 넘실거리는 파도에 속이 조금 울렁거릴 때쯤 물에서 나왔다. 마침 아이들과 약속한 시간이 다 되어가고 있기도 하였다.

바로 차로 가기 아쉬워 잠시 서서 학포항의 평화로운 풍경과 근처의 집을 눈에 꾹꾹 눌러 담고 있는데, 마침 옆에 서 계시던, 나이 지긋하신 동네 어르신께서 뒷짐을 지고 우리 부부에게 이런저런 이야기를 들려주셨다.

"오늘은 사람이 없는 거요. 평소엔 300명 정도까지도 오는데. 오징어는 유학을 가 버렸지. 이젠 영 없어. 예전엔 물에서 손을 이렇게 하면 바로 오징어가 잡히기도 했는데 말이야. 저기 위에 캠핑장은 더 좋아."

어르신께 감사하단 말씀을 드리고, 다시 카페로 돌아가니 유나는 그 앞에서 사방치기를, 유준이는 의자에 누워 낮잠을 청하고 있는 모습이 보였다.

"이제 우리도 수영하러 가요?"

어른들보다 물놀이를 더 좋아하는 아이들인데, 컨디션이 걱정되니 조금만 기다려 주라는 부탁을 잘 들어주어서 고마웠다. 남양항에서는 신나게 물놀이를 해보자고 하고 다시 시동을 걸었다.

남양 해수풀장은 마침 7월 30일이 개장이었다. 울릉도를 몇 번 검색했다고 나의 알고리즘이 자동으로 띄워 준 정보였다. 알록달록한 타일과 바다색이 제법 잘 어우러져 보이고 배경으로는 기암절벽이 위풍당당하게 서 있는 모습을 보고, 꼭 아이들하고 같이 가 봐야겠다고 생각했던 곳이었다. 부모님께서도 처음에는 물놀이를 안 하실 것처럼 하시다가 갈아입을 옷도 챙기셨다.

차에서 꾸벅 졸던 아이들이, 도착해서 활기를 되찾았다. 야자나무 모형도 있어 얼핏 보면 3초 동남아였는데, 사실 모형이 없어도 절벽 배경만으로도 멋진 곳임이 분명했을 터였다. 이미 소문을 들은 많은 아이들이 유아 풀장을 채우고 있었다. 다만 아쉬운 것은, 바로 지척에 배가 드나들면서 공사를 진행하고 있는 조망이었다.

육지에서부터 가지고 온 돗자리를 펼 기회였다. 처음이자 마지막으로 돗자리를 펴고 가져온 짐을 내려놓은 뒤, 유준이는 해수풀장이 아닌, 몽돌해변으로 뛰어갔다. 스노클 마스크를 들고.

녀석, 감기인지 냉방병인지로 하루 절반을 고생하더니 그렇게도 신이 났는지, 다행히 걱정과 달리 물놀이를 즐기다 나와서도 더는 열이 나지 않았더랬다.

그러나 파도가 너무나 강했다. 바람도 많이 불었다. 아빠께선 파도에 몸을 맡기셨다가 그만 15년 여를 성경 필사해서 교구로부터 받으신 금 묵주반지를 잃어버리셨다. 그리고 주머니에 들어 있던 5단 묵주도 영영 작별을 고하셔야 했다. 그렇게 센 파도 때문에 남편도 제대로 서있지 못하고 주저앉아버렸고, 유준이는 바다를 혼내기라도 하는 듯 손바닥으로 파도를 몇 번 치더니 금방 깔깔대면서 입수했다.

-유준-

나는 아직 아픈게 다 낫지는 않아서 제대로 놀지는 못했다. 그리고 파도가 세고 수심이 깊어서 깊게 들어갈 수가 없었다. 또 물이 흐려서 앞이 잘 보이지 않았다. 물이 조금더 깨끗해지면 좋겠다. 해수욕장에서 놀고 나서 해수풀장으로 갔다. 사람이 엄청 많았다. 아빠와 나는 씨름을 했다. 당연히 내가 졌다. 근데 갑자기 내가 이기게 됐다. 씨름을 하고 나서 유도를 했다. 유도는 조금 어려웠다. 그래도 몇 번은 이겨서 즐거웠다. 닭다리 싸움은 재미가 없었다. 참고로 내가 아빠랑 씨름, 유도를 할 때 내가 물을 먹었는데 물이 엄청 쓰고, 짜고 정말 맛이 너무 없었다. 물이 깨끗하지 않아 보이기도 했고, 파도가 세서 입에 자꾸 들어갔는데 맛이 없어 안 좋았지만 아빠가 함께 해줘서 더 재밌었던 하루였다.

-유나-

마지막 물놀이여서 더 재밌었는데 그보다 더 특별했던 것은, 바닷가에서 예쁜 돌멩이를 찾은 것이었다. 몽돌에 이름을 하나하나 붙여주었는데 하나는 길쭉이, 또 하나는 언덕이, 또 하나는 동글이, 또 하나는 납작이, 또 하나는 원형이, 또 하나는 삼각이, 마지막으로 할머니가 주워주신 울퉁이 이렇게 일곱 이이형제를 주웠다.

우리는 그렇게 남양 해변에서 약간은 나른하면서도 시원한 오후 시간을 보냈다.

새로 생긴 시설이어서 온수 샤워도 가능했다. 보송보송하게 씻고서 마지막으로 향한 곳은 독도새우를 파는 회센터였다. 저동에도, 도동에도 회센터가 있는 것을 보았으나 주차대란을 겪은 터여서, 비교적 한산해 보이는 비치 온 회센터라는 곳을 찾아갔는데, 윗층은 호텔로 운영하는 곳이었다.

아쉽게도 새우를 회로 먹을 수 없는 알러지 체질인 나와, 회를 아직 잘 못 먹는 아이들이 있어서 독도새우는 튀김으로 시켜 먹고, 시유가 회를 먹고 싶다 하여 모둠회를 시켜보았다. 아빠는 독도 소주를 시켜 드시고는 너무 기분 좋아하셨다. 그러나 손에 묵주반지가 없다는 것을 그때는 알지 못하셨다.

그것을 깨달은 것은 모두 숙소로 돌아와서 씻고, 주방에 모여 올림픽 경기를 한창 보던 해질 무렵이었다. 7시 10분. 정확하게 몇 시 몇 분이었는지도 기억하는 것은 평일 저녁 7시 30분 미사를 갈까 말까 고민하고 있었기 때문이었다.

“화끈하게 잃어버렸지 뭐야!”

하면서 아빠는 식당으로 들어오셨다. 다들 ‘무얼?’ 하는 표정으로 본인을 바라보자, 갖고 있던 묵주를 몽땅 잃어버리셨다고 하시고, 그런 아빠를 바라보시는 엄마의 표정이란…….

평소 같으면 우리가 어떤 실수를 해도 “괜찮아. 그럴 수 있지.” 하셨던 엄마가 무척 속상해하는 눈치셨다. 그럴 만도 한 것이 그 묵주반지는 정말 아빠께 소중한 것이었다. 예전에 우리 가족에게 닥쳤던 힘든 시련 동안 아빠께서 시작하셨던 성경 필사를 끝까지 놓지 않고 완수하였을 때에 받았던 선물이었기 때문이다.

엄마는 방으로 가셔서 세면대까지 뚫을 기세이셨으나, 나온 것은 아무것도 없었다고 하셨다. 이날 찍었던 사진 속 아빠의 왼쪽 손가락을 탐정처럼 조사해 본 결과, 반지를 잃어버린 시점은 바다에 입수한 바로 그 시점이었음이 밝혀졌다. 아빠는 안토니오 성인에게 기도를 하시겠다고 하더니 끝내 미사에 나오지 않으셨다.

하늘은 무심하게도 찬란한 노을을 선사하던 순간이었다. 마지막 저녁 노을이나 감상하고 가라는 듯, 선명하게 빨간 서녘 하늘의 태양이 수평선 너머로 조금씩 기울 때였다.

나와 엄마들은 함께 성전으로 향했다. 신부님께서 '똥내'와 '장미향'에 대한 강론을 해 주셨다. 미사를 마치고 나서 남양항에서 가장 가까운 파출소에 전화를 했지만, 기대하던 답은 돌아오지 않았다. 혹시나 싶어 몇몇 울릉도 커뮤니티에 들어가 "분실물을 습득했어요."와 같은 게시물을 찾으려고 했지만 헛수고였다.

나는 남양에서 신혼여행 때 입으려고 샀었던 수영복을 놓고 오고, 아빠는 금반지와 묵주를 잃어버리셨지만, 유준이의 말대로 '지나간 일에 새로운 눈물을 흘리지 말자'고 하며, 묵주반지를 습득한 누군가가 하느님의 품에 귀의하기를 바라는 마음으로 마지막 밤을 마무리하였다.

-유준이의 일기-

2024년 7월 30일(화)

날씨: 엄청 더움

<울릉도 경치 구경>

오늘도 일어나서 TV를 봤다. 우리집에는 TV가 없는데 여기에는 엄청 큰 게 있어서 실컷 봤다. 아침밥도 배불리 먹었다.

그런데 아직 머리가 아팠다. 방에 올라가 양치하고 옷을 갈아입은 후, 밖에 나갈 준비를 다 마친 후 우리는 차를 타고 태하 향목 모노레일을 타러 갔다.

도착했을 때 사람들이 산을 올라가고 싶는 것이 보여 우리도 올라가야 되는지 알았지만, 알고 보니 그 사람들은 우리와 다른 곳을 가려고 하는 것이었다. 우리가 탄 모노레일에는 한 차에 20명이 들어갈 수 있었다. 누나가 계속 날 찍으려고 해서 난 다른 데를 보고 경치가 좋다고 말했다.

다 올라갔는데 다시 위로 올라가야 했다. 느낌상 5~7분 정도 올라간 것 같았는데 도착한 곳에서는 진짜 전망대가 있었다. 조금 더 걸어갔더니 대풍감이라는 것을 바로 내려다 볼 수 있었다.

전망대 아래를 보니 바다가 보였다. 바다는 색깔이 너무 예뻤다. 나중에 생각해도 물이 엄청 깨끗했던 것 같다. 전망대 앞에 있는 대풍감도 멋있었다. 대풍감은 향목이 있는 큰 바위였다. 엄청 멋있는 경치였다.

다시 모노레일을 타고 내려와 칼국수를 먹었다. 이때 따개비를 먹으면 아빠가 천 원을 준다고 해서 돈이나 벌까 하고 한번 먹어보았다. 쫄깃했다. 맛은 조개랑 비슷했다. 근데 맛있지는 않았다. 몇 개를 더 먹어 7천원을 벌었다. 나중에 아빠에게 여쭈어보니 다섯 번 먹은 거 아니냐고 해서 중간 가격인 6천원으로 협상을 하였다.

경치 구경하고 밥도 먹고 돈도 벌고, 만족스러운 하루였다.

제5일 잔잔한 바다

저동커피 - 아리랑 김밥 - 저동항 - 강릉

"언제 일어나니?"
사리현동 엄마의 전화.

"애들 깨워야지."
용인 엄마의 문자.

애들은 아무리 흔들고 뽀뽀하고 간지럽혀도 일어나지 않는다. 10분쯤 지나니 유나가 보시락거리며 일어나 TV를 본다며 아래

층으로 내려갈 준비를 하고, 유준이는 여전히 꿈쩍도 하지 않는다. 혹시나 싶어 이마를 짚어 보니 다행히 열은 나지 않아 안도의 한숨을 내쉬었다.

짐을 어느 정도 정리하고 식당에 내려가니 엄마들이 상을 다 차려 놓으셨다. 이틀 전 엄마가 사 놓으신 계란에 햄을 넣어 오믈렛을, 어제 남편과 사 둔 두부로 찌개를, 그리고 사리현동 엄마가 싸 들고 오신 밑반찬과 김을 꺼내니 이것이야말로 진수성찬이었다.

어제는 바쁘셨는지, 쉬는 날이셨는지 영성센터 자매님께서 통 보이지 않으시더니 아침에는 식당에서 수건을 개고 계셨다. 홀로 신부님 식복사도 하시고, 이 큰 영성센터의 각종 살림을 도맡아 하시는지라 조금이라도 도움이 되었으면 좋겠다고 생각하며 엄마들은 락스로 화장실 청소도 하시고, 우리 역시 요 커버와 베갯잇을 교체하며 이불 정리도 꼼꼼하게 했더랬다.

영성센터에는 세탁기와 건조기도 있었다. 사용료를 내고 식구들의 빨래를 모두 모아 전날 빨래까지 다 돌리고 나니 마음이 아주 편안해졌다. 바닷물에 절은 빨랫감을 집에까지 가지고 간다면 찝찝할 터였다.

다음에 다시 오면 이것도 가져오고, 저것도 가져와야겠네, 하시며 주방의 편리함에 흡족해하시던 엄마들.

늘 웃는 표정이셨던 자매님은 독도에 일곱 번을 다녀가셨다고 한다. 원래 고향이 울릉도는 아니셨고, 육지에 가족이 있어서 연중 몇 달은 배 타고 나가셔야 한다고 하셨다. 영성센터도 11월부터는 비수기에 들어서 손님을 받지 않는다고 한다.

두고 온 것 없이 잘 챙겼다 생각하고, 인사를 드린 후 저동항으로 길을 나섰는데 유준이의 얼음 목도리가 냉동실에 그대로 있다는 생각이 들어 다시 영성센터에 들렀다가 저동항에 가느라고 시간이 많이 지체되었다. 결국 유준이의 신발을 두고 온 것도 배 안에서 깨달았다. (서울에 돌아오는 길에 자매님께 말씀드리니 택배로 부쳐주시겠다고 하셨다.)

남편이 렌트카를 10시까지 반납해야 한다고 우리를 첫날 갔던 저동커피에 두고 다녀오고, 아이들은 다시 먹물 아이스크림을 입에 물었다. 짐도 많아 어딜 갈 수 있는 형편이 못 되어 차례로 기념품 구경이나 할까 싶어 맞은편과 인근에 있는 특산물 판매점에 다녀오기도 하였다.

그러다 보니 어느덧 11시가 넘었다. 먹물명이김밥과 먹물부지갱이김밥이 유명하다는 아리랑김밥에 전화를 했더니 12시 10분 정각에 딱 네 줄만 가능하다고 하여 뭐 이런 데가 다 있나 하고, 그래도 맛이나 보자, 배 탈 때 많이 먹으면 안 되니까, 하면서 남편과 김밥을 사러 갔다. 그러나 매장에 김밥을 사러 들어오는 사람마다 김밥 예약이 다 찼다며 허탕을 치고 나가는 걸 보고 네 줄이라도 감지덕지해야겠다는 생각을 할 수밖에 없었다. 시유가 아직 기념품을 고르지 못해서 시유 선물이나 사서 항구로 돌아갈까 했지만 김밥이 조금 늦어져서, 멀미약을 드셔야 할 부모님과 아이들 때문에 서둘러 가야 했다.

먹물김밥의 맛은 그런대로 훌륭했다. 먹어보지 못했던 맛이어서 걱정했는데 아이들도 제법 먹었다. 김밥이 비싼 값어치를 하는 듯 크기도 큼직큼직하여 배도 어느 정도 찼다. 그리고 나서 멀미약을 야무지게 챙겨먹고 비장한 각오로 승선하였다.

잘 있어라, 울릉도야.

-유준이의 일기-

2024년 7월 31일(수)

날씨: 바람이 안 불었고 여전히 맑음

<울릉도 마지막 날>

오늘은 울릉도에서 생활한 마지막 날이다. 오늘은 한 일이 많이 없다.

나는 숙소에서 일어나 TV를 보며 밥을 먹었다. 오늘은 신기한 사람이 나왔는데 그 사람은 노래를 편집하는 사람이다. 편집한 노래가 너무 좋았다. 우리는 밖에 나와 저번에 갔던 저동 커피집으로 갔다. 그리고 저번에 먹었던 먹물 아이스크림을 먹었다. 이건 초코 맛이다. 여기서 일기를 썼다. 내가 일기를 쓰고 있는 동안 동생과 누나와 할머니는 기념품을 사러 갔다. 누나는 기념품을 안 사고 돌아왔다. 할아버지가 누나한테 철이 들었다고 해서 웃겼다. 할머니께서는 내 기념품을 인형으로 사주셨다. 그 인형은 울라였다. 내 동생도 울라를 골랐다. 내 동생이 내 인형에게 이름을 지어줬다. 내 인형의 이름은 라몽이였다. 그다음 항구로 갔다, 이땐 항구가 바로 앞에 있어서 편했다. 스타리아라는 브랜드의 차를 처음 타본 곳이었다. 스타리아라는 차는 크고 탈 곳이 많아 좋았다. 항구 안에서도 일기를 썼다. 그리고 노래를 들었다. 우리가 탄다던 배가 들어오자 우리는 그 배로 갔다. 그리고 조금 놀다가 잤다. 2시간 정도 자고 일어난 다음 밖에 경치를 보았다. 엄청 멋있었다. 몇십분이 지나고 밖을 보니 땅이 보였다. 드디어 한국 강릉항에 온 것이다. 우리는 도착하고 나서 우리의 차로 강릉이 유명한 순두부찌개를 먹으러 갔다. 엄청 맛있었다. 다 먹고 나서 다 헤어졌다.

에필로그 #다시_일상으로

[대희, 일상으로]

울릉도로 향하던 배 안에서와 달리, 강릉으로 돌아오는 배 안에서 더 잠을 청하지 못했던 것은 커피를 마셨던 탓도 있겠지만, 서울로 돌아가 할 일들이 하나둘 머리 속에 떠올랐기 때문이었다.

우선은 사진을 정리해야 했다. 우리 가족끼리 여행을 갔다 왔을 때에도 그렇고, 부모님을 모시고 여행을 다녀올 때에도 그렇고 때마다 포토북을 만들어왔다. 해오던 가락이 있는데 이번에도 넘어가기는 서운할 것이었다. 무엇보다 아이들이 지난 포토북을 꺼내보며 즐거워하는 모습, 추억에 빠져 있는 모습을 보는 것이 나와 남편의 보람이었다.

그리고 둘째로는 바로 이 책을 출간하는 일이었다. 덜컥 가족 책 만들기 프로젝트를 기획은 하였지만 시작조차 하지 않았기에, 돌아오는 배 안에서 휴대폰을 만지작거리며 1장을 조금 써 두다가, 나머지는 언제 쓰지? 하면서 잠이 홀랑 깨 버린 것이다. 제일 중요한 것은 나 혼자 쓰는 것이 아니라, 모두가 함께 해야 하는 것임을 잘 알고 있었기에 더 부담감이 생기기도 했다.

그 외에도 도서관에서 만기일이 하루도 남지 않았다며 예약 도서를 찾아가라는 문자와, 아이들 방학 일정 정리, 개인적인 연구 보고서 작성 등 많은 일들이 두서없이 머리를 스치고 지나갔다.

천부 성당 신부님의 말씀이 떠오른다.

"육지에서의 근심 걱정은 다 내려놓고, 즐거운 일만 생각하세요."

즐겁게만 지내다 돌아와 근심과 걱정이 다시 주인을 되찾기는 하였지만 나에게 가장 중요한 것이 '가족'임을 다시 깨달은 여행이었다. 아이들에게, 부모님께 이 여행은 어떻게, 어떤 모습으로 기억될까?

[지양, 일상으로]

울릉도는 다듬어지지 않은 섬이었다. 그래서 다소 불편함도 있었지만 그 덕분에 관광객도 많지 않았고, 가족과 함께 여유 있는 시간을 보낼 수 있었다.

무엇보다도 부모님들도 함께하는 여행이라 더욱 큰 의미가 있었다.

여행 중 내 머리와 눈과 마음을 스쳐지나간 깨달음은
'내가 변하지 않으면 아무것도 변하지 않는다.'

'이 또한 지나가리라.'

'내 삶의 여유를 찾아서 살아가겠다.'

'권력에 옆에서 변하지 않는 사람은 없다.'

'모든 존재와 삶과 행동에는 다 이유가 있다. 내가 이해하지

못할 뿐......'

한여름의 더위 속에서도 맑은 날씨가 함께해준 시간은 내게 새로운 방향성을 열어주고 있는 것 같았다.

이제 주눅 들지 않고 내가 주체인 내 삶을 살아갈 것이다.

[유준, 일상으로]

작년에 시유 누나랑, 시아랑 고모랑 할아버지랑 같이 여행을 갔었는데, 그 이후로 할머니랑 처음 가는 여행이어서 더 좋았다. 시아랑 고모, 고모부, 할아버지가 같이 하지 못해서 아쉬웠지만 독도 땅을 밟아보지 못했으니 다음엔 다 같이 밟아보았으면 좋겠다. 또 '울라몽'이라는 인형이 생겨서 좋다. 다음에도 이런 보람 있고 재밌는 여행을 갔으면 좋겠다. 울릉도는 엄청 멋있는 곳이다. 그리고 나는 울릉도에 오징어가 많은 줄 알았는데 적었다. 이게 다 지구 온난화 때문이었다. 앞으로 환경을 잘 보호해야겠다. 이번 여행으로 더 활기차지고 많은 것을 배웠다.

[유나, 일상으로]

마지막 날에 용인할머니께서 라쿵이를 사주셨다. 라쿵이는 고릴라 인형이다. 사람들이 고릴라를 닮은 바위를 보고, 울릉도의 앞 글자 ‘울’, 고릴라의 뒷 글자 ‘라’를 따서 울라라고 이름 지은 카페에 갔다가 울라를 보고 사랑에 빠졌다. 할머니께선 우리가 다툴 수도 있다며 오빠에게도 똑같은 것을 사 주셨다. 나는 오빠의 울라 인형에게 ‘라몽’이라고 이름을 지어 주었다.

라콩이는 항상 웃고 있다. 라콩이가 웃는 모습을 보면 나도 웃음이 나온다. 요즘은 잘 때에도 매일 라콩이를 안고 잔다. 내 애착인형이었던 꿀꿀이와 팬더에게는 좀 미안하지만 라콩이가 있어서 요즘 기분 무척 좋다.

어디 갈 때에도 무조건 가지고 다닌다. 아빠의 손바닥만한 크기라 가방에 넣기도 딱 좋다.

사실 마지막 날에 강릉으로 돌아오는 배를 타기 전에 들렀 기념품 가게 아저씨께서 ‘울라’는 울릉도의 특산품이 아니라고, 울릉도에는 고릴라가 없다고 하셨지만 그래도 나는 라콩이를 볼 때마다 울릉도에서의 추억을 떠올릴 수 있을 것 같다.